오늘 새벽에는 말없이 눈만 맞춰도 좋겠습니다

오늘 새벽에는 말없이 눈만 맞춰도 좋겠습니다

전윤철

차례

1장

발걸음까지 닮게 되는 일

잡는 일 13

무명無名 14

낭만을 기르는 법 15

시작詩作 17

파도 18

맥박과 발걸음의 속도 20

흰 피 22

유사성 24

작명 25

권태를 닮은 일 28

서투름 30

사랑이 아니었으나 31

聞 32

問 34

열사병 36

안부글 38

너그러운 여름 40

일상다반사 42

묵시默視 44

꿈일기 45

해안선 낭만 47

괴짜 사랑법 49

고해성사를 닮은 사람 51

익숙해짐에 대해 53

포교 55

2장

당신은 그저 나목처럼 고요히 운다

장례비행 61

유명무실遺名無實 63

투정 65

기다림이 없는 삶 67

낮잠 69

최후론 71

귀의 72

곡예비행, 끝 73

폐건물 75

새끼손가락 76

선부른 시절 78

무력함에 대하여 80

옛 이야기 82

시 비슷한 것 83

쓸모 외인外人 85

배탈 86

침묵 빳기 87

사물이 거울에 보이는 것보다 89

부재중 90

이름 잃음 91

결격사유 92

어리광 총론 93
제목을 입력해주세요 95
욕심 97
눈을 감은 적막 98

3장

때로 언어는 기만이 된다

약속 103
육지 멀미 104
어린 날 106
제멋대로의 미학 107
불행의 총량 109
낡은 습관 110
답신 없음 112
캠프파이어하기 좋은 날 114
먼 우주에서 온 일 115

누더기 걸음 117

미적 재해석 119

언제나 당신 앞에서는 120

겨울을 비관한 연인 122

존재 가치 123

발원지 125

빗금처럼 우는 밤 126

무해한 눈빛 128

생전生前이라는 단어 130

사회화 131

잃어버린 것들 133

묵비권 135

불면 136

사람부터 삶까지 138

매미 139

합리주의 141

작가의 말 142

1장

발걸음까지 닮게 되는 일

잡는 일

는개가 내리는 날이면 온 힘을 다해 무언가를 붙잡고 싶어진다
손이 비어 있는 순간마다 잘게 떨리는 공백 사이의 호흡과
저 너머의 무언가가 두려운 시선이 갈피 없다

가난하고 연약한 마음은 쉽게 휩쓸렸으나
쥘 게 없는 탓에 조금 울고 싶어졌다

오지 않은 것, 그 까마득함 속에서 어떤 이름은 잊히고 어떤 이름은
혀끝에서조차 살아남는다, 운무와 같은 희뿌연 아득함에 나는 다만
조심스럽다

그런 까닭으로 네 옷자락 끄트머리만큼만 쥐고 싶다
비가 오는 날의 바지 끝단 습기처럼 네 소매에 젖어 들고 싶다

무명無名

이름 모를 것들을 사랑해

노을빛으로 잔물진 하늘의 색과
눈 감은 달 옆 별을 좋아해

그리움을 쓰는 사람과 온갖 사랑을 숭배하던 연인과
언젠가의 배교자, 죄스러운 다정의 냄새를,
슬프게 가라앉는 눈꺼풀을,
책상에 엎드려 자는 이의 뒷모습과 겨울 차가웠던 밤공기를

너를 좋아하는 게 아니야
네 속눈썹이 길다는 걸 알게 됐을 뿐이야
감정에 이름을 붙이는 건 어렵더라고

결국 난
누구도 감히 명명하지 못할 것들을 아껴

낭만을 기르는 법

가끔 애정의 형태에 관한 상상을 해
정해진 모습이 없어서 나는 이렇게나 불안해하고 항상 목말라하는 걸까?

낭만을 기르는 방법도 다양하지
나는 내가 좋아하는 시를 네 이름으로 불렀어
네가 좋아하는 시간에는 꼭 깨어 있었어
이를테면 오후 일곱 시와 오전 두 시
불면에도 사랑이라는 이름을 붙이면
질병이 아니게 되었지

그러나
낙조로 물든 눈동자에는
아무리 이름을 붙여도
끝내 다른 세계의 이채

시시각각 바뀌는 눈빛에 나는 몇 번이고 죽다 살아난다

그래, 너

사실은 알고 있었던 거지?

시작詩作

네 이름 위에 너절한 운율을 덧대는 일
가볍게 하늘거리는 발음을 따라 혀끝을 좇다 보면
항상 나는 길을 잃고 나는 그것을 시詩라고 부른다

우리의 서사는 자동기술법의 그것과 같다
굳이 의미를 찾지 않아도 의미가 통했다
이마와 이마가 맞닿는 한낮에 너는
자국이 남을 것 같다 그랬고 나는
문질러주겠다 했다.

우리의 대화는
복잡한 지하도의 어린아이를 닮았다
그러나 언제든 기꺼이 미아가 되고 싶었고
목소리든 시선이든 너와 나 사이를 넘나들었던 것들은
한 번은 꼭 갈 곳을 잃었다

네게로 향할 때마다 나는 길을 잃는다

파도

안개가 자욱한 세상에 살고 싶어, 그렇게 말하는 X 의 눈에는 이름 모를 아득함이 있었다. 한 치 앞도 보이지 않으면, 그러면…. X 는 제법 쓸쓸한 목소리로 중얼거렸다. 너 안개 낀 바닷가 가본 적 있어? 보이는 거라곤 저 뿌연 외로움밖에 없는데… 가만히 있으면 파도가 부서지는 소리만 들려. 볼 수 없다면 듣기라도 해달라는 듯이.
내게 힘껏 닿기 위한 것처럼… 그게 좋았어.

그 말들을 마냥 듣고 있노라면 다른 모습의 세계가 떠오르곤 했다. 한 발짝이라도 잘못 가면 아무것도 볼 수 없어서… 손을 꼭 붙잡고 살아가야 하는 세계. 너와 내가 그곳에 살면 좋겠지. 아마 좋을 거야.

X 는 파도가 부서지는 소리가 좋다고 했다. 제 몸이 부서지더라도 모래를 쥐고 놓지 않으려는 소리. 차가운 바람이 뺨에 들러붙고 금방이라도 비가 내릴 듯 온통 흐려지면 손이 곱아들기 전에 우리는 맞잡아야 한다고도 했다.

우리는 잿빛 낭만, 우리는 짙은 안개를 좋아하는 별종들.

너는 모든 까마득함을 사랑하고 나는 어떤 미지조차 아끼는 괴짜.

맥박과 발걸음의 속도

너는 슬픔을 낭자히 흘리며 온다
가만히 그 모습을 본다

양쪽으로 늘어선 빗장이 얼마나 허술한지
그 안에 기생하는 열병은 또 얼마나 연약한지
그래서 쉽게 덜컹대고 부서지는지

너는 물기 어린 족적을 무참히 남기며 온다
느즈러지는 발걸음과 다를 것 없는 관계

종말과 아무런 상관이 없을까, 우리는.

네 해말간 손목을 잡고 있다 보면 사이로 체온이 움직인다
손끝을 두드린다

불가피한 슬픔도 어쨌든 슬픔이니까요
불가해한 기쁨도 어쨌든 기쁨이니까요

사실은 오래전부터 하고 싶던 말이 있는데…

우리는 웃음을 울음처럼 짓는 사람
울음이 웃음처럼 헤픈 사람

닮은 구석이 어찌나 많은지
하나하나 세어보려면 얼마나 오랜 시간이 걸릴까

너와 걷다 보면 발걸음까지 닮게 된다
저번에도, 이번에도
어쩌면 네가 비틀거릴 때마다

아무래도 이번 생이 종말하기 전까지
이리저리 닿는 대로 걸어갈 모양이다

맞닿아있는 삶의 모양
맥박이 닮아서 우리는 슬프다

흰 피

네 바람직하지 않음에 왜 자꾸만 뱀 발을 덧붙이는 거야

설명되지 않는 믿음도 믿음이듯이
너는 아무 교리 없이도 신앙이야

네가 나를 물들이던 고요한 기적
어쩌면 종말과 같은 모습일까,

세계에 매료되어 다다른 곳에는
묘하게 어긋난 영혼이 있었지

검은 것을 가까이하면 덩달아 검어진다는 말처럼
위태한 것을 가까이한 탓에 나도 덩달아 아슬해졌고
벼랑 끝에 몰린 사람치곤 꽤나 교교한 편이구나,
너는 경전을 읊는 듯 조용히 말했다

너는 대가를 원하는 순교자를 본 적이 있니

나를 잘 봐

눈을 떼지 마

목을 타고 흐르는 흰 피가 보이니

유사성

여기저기 보이는 글자를 떼어 내
네 이름을 만들고 있다 보면
때로는 석 자가 버겁게 느껴진다

저녁에는 까마귀가 자주 울었다
비질을 하며 사소한 것들에 대해 묵념한다
쉽게 쓸려 나가는 먼지나 지우개 가루
물어뜯은 손톱과 내 것이 아닌 머리카락

떨어져 나간 이후로 찾은 일이 없던 것들
그러나 부분은 전체를 닮았다
그래서 슬프다
너와 나는 우리의 프랙털

가만히 내려다보는 네 얼굴에는
세상모르게 잠든 내가 있다

작명

적막한 추위를 뚫고 나는 쓴다

X 에게

요즘은 날이 아슴아슴 흐리기만 해. 기상예보에서는 연일 비가 내릴 거라고 하는데 어찌 된 일인지 물냄새만 가득하고 자꾸 채도가 낮아지기만 해. 날은 회색빛이었다가 이내 어둔 밤이 되고…

이제 이런 이야기는 그만하자.

X,
너는 네가 타국의 문자로 불리는 이유를 알고 있니

성을 떼고 남은 두 글자라든지, 나름의 낭만이 담긴 가명이라든지, 그것도 아니라면 다정하게 부를 수 있는 다른 무언가라든지…

그런 것들을 놔두고 왜 낯선 문자로 너를 부르는지 알고 있냐는 말이야.

네게 설명해 주자니 볼품없고 짓찧기만 할 뿐이어서
나는 다만 지리멸렬하게 서간을 부친다

너는 결단코 이해 못 할 인과들 사이에서
변명 따위는 행간 사이에 조용히 숨는다

이유를 영원히 알지 못할 네가
그걸 핑계로 해서라도 곁을 내어주면 안 될까

물어볼 게 있어
옆으로 가까이 와 줄래
라고 말이야

무엇이든 될 수 있었으나
그 무엇도 아닌 이름으로 너를 부른다

나를 위해 난해했으면 한다.

그리움을 담아,

권태를 닮은 일

실패한 도피

도망치고 싶은 시절
숨쉬기도 조심스러운

익숙한 냄새가 나는
이불 아래 깔린 채로
안락은 우리의 얼굴을 하고 있지

그리워할 것이 없는데도
무언가를 그리워하면서,
이 순간은 온전하게 호흡한다

떠나버리자,
그런데 지금은 너무 포근해서
아무것도 하기가 싫은데
떠나긴 할 거야
그러니까 마음의 준비는 미리 하고 있어야 해

같은 음성들이

나른하게 무너지는 저녁

응, 나도 알아

그러니 언젠가는 꼭…

서투름

네가 다정해질 때마다 나는 까마득해지고 아득해지고

어디로 가야 할지조차 모르겠다

사랑을 잘못 쓰면 사람이 되지

우리는 잘 못 사랑해서 사람인 거야

발에 채듯 널린 게 사랑인데

우리는 꼭 그걸 못 보고 발이 걸려 넘어지지

실은 모두가 서투른 거야

한 발도 내딛기 무서워하는 어린아이인 거야

사랑이 아니었으나

사랑하고 싶었으나 무수한 실패 속에서
단지 손을 잡는 것만으로도 벅차던 날이 있었다

그 해 여름은 모든 걸 녹일 듯한 더위였고
우리는 옷감 같아서 자주 달라붙었다
목덜미를 물고 놓지 않는 빛,
영영이라고는 상상도 못할 만큼 찰나 동안
차츰 검어지는 우리는 쉽게 식는 법을 배웠다

온도는 시끄럽게 끓어댔으나
적막처럼 웃는 일이 많았다

언제나처럼 초록은 초록일 줄만 알았던 것이
그래, 원래 선불리 생각할 때야

사랑은 아니었으나
딱히 붙일 이름이 없어 그냥 두기로 한다

聞

투병하는 사람이 있다
머리맡 액자에는 손이 잘 닿지 않는다

정방형의 그리움은 창문에 비친 모습 같다

많은 낭패를 겪으며 지나온 길에는 꼭 널 닮은 게 있어
사소한 것들을 사랑하기로 했었으니 한숨 같은 건 멀리하자

알약 두엇쯤 삼키고 나면 다시 누워서 잘 거야

꿈을 꿨으면 좋겠어. 긴 꿈.

액자에 손을 뻗으면 잡히는 꿈
표면을 쓰다듬으면 손끝을 따라 네가 번지는 꿈
그러다가 깨면 현실인 줄도 모르고 망연할 거야

그러다가 멀리했던 것들이 가까워지면

가만히 엎드린 네 속눈썹 위에 습기가 내려앉으면

그제서야, 그때 가서야

사랑이었던 것 같다고

나는 그렇게 말할 거야

問

물 냄새가 만연한 때
무언가 부서지는 소리는 끊이지가 않고
바야흐로 장마철이다

계절이 바뀌고 큰물이 찾아올 때마다 한 번씩은 앓았다
돌보는 손길이 무색하게 아주 크게 아플 때도 있었고
때아닌 재채기처럼 금방 털고 일어날 때도 있었다

그리고 그곳에는
어느 쪽이든 곧 죽을 사람처럼
눈이 벌게진 우리가 있었다

유서를 받아 적는 것처럼 너는
꼼꼼히 내 내력을 받아 적었다

자다 깨면 손금이 포개진 우리가 있었고
선명했으나 습기로 흐려진 글씨가 있었다

유언집행은 물 건너갔을 게 뻔했으므로
다만 확인받고 싶어 했다
장례식처럼 엎드려서

너는 불확실도 좋다는 듯이
사랑이었을까 물은 일이다,
바야흐로 장마철의 일이다

열사병

어지럽고 기운이 없어. 더위를 먹었나 봐. 열사병인가?

열기로 붉어진 얼굴에 연신 부채질을 해댄다
모든 것이 녹아내리는 날씨에 당신만이 온전하다
차갑지는 않은데 건드려보면 또 여름 차 안의 캐러멜 같다
형체를 잃은 듯한 단내가 풍긴다

아스팔트 위에선 아지랑이가 흔들거린다
살인적인 더위에서 죽지 않는 우리는
그러면 사람이 아닌가, 하는 허언이 들락거린다
또 무슨 말을 할까 가만히 보고 있자니

아까 전부터 숨쉬기가 어렵고 머리가 어질어질하고
목은 콱 죄는 게 답답하고
뱃속엔 나비가 들어찬 것만 같다

무모한 말을 토해낼 것만 같다

무기력을 사랑할 것만 같다

아무래도 열사병이다

안부글

소녀처럼 우는 법을 잊어버렸습니다
요즘은 겁을 쉽게 먹습니다
당신은 안녕한가요?

여름은 시작되지도 않았지만 나는 벌써 여름 뒤에 찾아올 겨울을 걱정하고 있어요. 당신이 제일 좋아하는 계절이 겨울이라는 것에 위안을 받지만 아직 한참은 멀리 있어요. 당신이든 당신과 같이 올 겨울이든 말이에요.

저는 잘 지내고 있어요. 젖고 마르면서요.

하루는 당신에게 보내려다 말았던 편지를 우연히 읽었어요. 어떻게 썼냐면요.

-여기는 온통 초록이에요. 바쁜 시기가 지나면 바다를 보러 가요. 같이. 장마여도 좋을 것 같아요. 아득한 풍경을 넋 놓고 보는 거예요. 수평선처럼 누워서 말이에요. 우리 초록과 파랑을 닮아요. 눈빛 같은 초록. 몸짓 같은 파랑.

제가 알고 있는 당신이라면 아마 잘 지낼 거라고 믿어요. 우리는 그런 신뢰를 나눠 먹은 사이잖아요. 서로의 평화를 잘 아는 사이. 연인이라고 하던가요? 어쩌면 그럴지도 모르겠어요.

섣부른 마음으로 적었어요.
그래도 기뻐하셨으면 좋겠어요.

늦봄,
잘 살자는 마음을 담아.

너그러운 여름

항상 첫 문장에 머무르는 서투름과
언어로 짜 맞추지 못한 마음은 다를 게 없다

편지는 여름 언저리에 정체한다

이맘때에 소나기는 드물지 않았고
창 안팎으로 내리는 모든 빗금을 네게 세일 뻔하더라도
얇은 종이에 빗소리를 담아 보내주고 싶었지

어떤 규칙도 배열도 없이 쏟아지듯 하는 게
이 계절 한 철이 끝이라는 것처럼

어느새 구름은 저 멀리 가 있다
머무를 줄 알았지만 실은 떠날 거였어,

그러나

아무리 가려도 결국 젖어버리고야 마는 마음을
나는 장마라고 불렀어

그러니

이 여름이 끝이라는 말,
서투름을 용서하지 않는 말,
그런 말은…

일상다반사

귀한 것들이 울던 밤이다
책상에 앉아 밥을 먹고 있노라면
같이 마셨던 먼 나라의 맥주 이름이 떠오른다
종내엔 보고 싶은 얼굴들이 별처럼 박혀있다
늦은 저녁처럼 식은 공기가 창문 사이로 들어온다

어떤 사연, 사연처럼 읽히는 것들이 있다
보통 그런 것들을 읽으며 식사를 했다
내 울음은 귀하다고 하자 내가 흘려서 귀한 거라던
네 말이 생각났다
불청객이었다

때로는 어떤 이별처럼 들리는 것들이 있다
돌아서서 생각해야 알게 되는 것들이 있다

아끼는 것을 서랍에 넣어뒀다가 잊는 일이 다반사였다
캄캄한 애정 안에서 잊힌 것들은 가끔 울었으리라

귀한 것들이 우는 밤에 불쑥 찾아오는 건,

그건 무책임인 거지?

그런 성의 없음도 사랑인 거지?

묵시默視

같이 살자고 말하던 눈에는 사실 같이 죽어도 좋을 것 같다는 마음이 있었습니다

어떤 일이든 무던하게 넘겨버리는 당신이 할 수 있던 최후의 표현, 나는 그것에 마음을 죄 빼앗겨 버리고 일순 아득한 미래를 보고는 했습니다

입술과 입술이 닿는 것도 입을 맞춘다고 하는데
시선을 마주하는 것도 눈을 맞춘다고 하지요

바라봄, 이라는 것은 사실 당신 살갗에 닿는 것만큼이나 큰일일지도 모르겠습니다

마음이 동할 때면 항상 아랫입술을 깨물던 당신

오늘 새벽에는 말없이 눈만 맞춰도 좋겠습니다

꿈일기

꿈을 기억하지 못하는 얼굴로
너는 항상 깊게 잔다

눕기만 해도 잠들던 시절

항상 도망치기 바빴지
눈이 자주 부었다

언제나 꿈을 꿨고 눈동자 뒤편에서
여러가지 이야기를 읽어댔다

때로는 동화 같은 것들에게
행복하게 살았냐 물어보면
결말은 누구도 몰랐지
그래서 그냥 침묵했다

함께 잠들었다 깬 저녁이면
나는 베개에 얼굴을 묻고
꿈을 꿨냐고 묻는다

그러면 너는
사실은 이게 꿈이라고 한다
으스스한 목소리를 흉내내면서
꿈결 같은 얼굴을 하고

해안선 낭만

요즘은 밤과 새벽의 바다를 보는 일이 잦아졌어.

가만히 서서 지켜보고 있노라면 내가 꼭 이름 모를 타국의 열대어가 된 것만 같은데… 아가미 없이 숨을 쉬는 게 영 익숙지가 않아 이렇게나 몇 날 며칠을 헐떡이는 걸까?

우리는 바다에서 왔다고, 그래서 하늘을 동경했던 과거의 위인들은 사실 바다를 그리워했던 거라고, 그렇게 말해주던 목소리는 어디에 갇혀 메아리치고 있는 건지 도무지 모를 일이야. 소라 껍데기에 귀를 대면 네 말은 안 들리고 파도가 부서지는 소리 엇비슷한 것만 들려.

해안선을 따라 걷다 보면 수평선에서는 불빛이 가물거리고, 금방이라도 넘칠 것처럼 온통 검은 물결이 철썩대며 달려들어.

너는 어디 있어?

너도 이 소리가 들려?

젖은 모래를 밟는 소리, 펄럭이는 바람 소리, 형체도 없이 사그라지는 거품 소리, 듣다 보면 이유도 없이 쓸쓸해지는 그런 것들 말이야. 가난한 마음을 타고난 우리의 지느러미를 묶어놓았던 것들이 거기에도 있어?

숨이 차오를 때면 떠오르는 건 공기 방울뿐만이 아니더라고.

너도 이 풍경이 보여?

괴짜 사랑법

어떤 시는 같이 읽으면
좋을 것 같다고 생각했다

사전을 뒤적거리며
단어를 찾았다

맹목 맹렬 맹종
따위의 단어들은 나를 힘겹게 한다
음절에서 우리가 보인다

인생은 흑백의 무성영화
이제는 그보다 아주 약간 더 소란스러운 것

고상한 취미를 갖고 있구나
감각은 아둔해 쉬이 속일 수 있다

고요히 안으면
체취가 날아와 묻는다

너 진짜 특이하다

단언할 수 있다는 듯 너

눈을 감고

감상은 교묘해 좀처럼 속지 않는다

고해성사를 닮은 사람

몇 해 전의 용서 같은 나뭇잎이 진다
낙원을 찾는 바쁜 걸음으로 구름은 간다
햇빛이 수직이었다가 비스듬히 추락하고 있다
초침이 없는 시계는 고요히 움직인다
느림보의 속도로 날이 기운다

시작 끝 행선지
마음, 기워버리고픈 마음
나와 상관없는 단어들을 기억한다

낮잠에서 깬 너는 꿈을 꾸었다고 했다
도무지 나와는 상관없는 것들만 나왔다고 했다

잘 됐다고 말하자 의아한 얼굴이었다
왜 잘 된 거냐고 묻는 네 얼굴엔
아직도 덜 깬 잠이 흙탕물처럼 묻어있다

대답하지 않는 내 얼굴엔

여전히 빌고 빌었던 흔적이 남아있다

너를 마주할 적엔 어떤 것이든 죄 들키는 것 같았던 시절

바라보는 시선만으로 용서받은 나는

미안한 게 많다고 했다

그러자 너는

그런 건 싫다며 고개를 홱 돌렸다

갈 곳 잃은 시선이

네 뒤통수를 매만지는 오후였다

익숙해짐에 대해

어지러워

어지럽다고 말하면 너는
엄지로 이마를 쓸어주려나

오뉴월의 아지랑이가 방바닥에 누워있다

영원이라는 말은 진부해
그러니까 그런 말 말고
초침을 길게 늘여 내 방에 걸어두고 싶다든지
잠깐 다녀갈지라도 봄빛 같을 거라든지

뭐 그런 거 있잖아

정확히는 모르겠지만
알 것만 같은 거
이마의 굴곡을 따라가다 보면
손에 닿을 것만 같은 거

초여름에서는 서툶의 냄새가 나지만
어디서 많이 들어본 듯한 단어와 문장과 목소리와
익숙해질 듯 익숙해지지 않는 더위
겪어본 것 같은 날씨

나열되어 있는 우리
음절처럼 누워 읽어지기만을 기다리는 모습

너는 무력해서 모든 일에 무던하지

어지러운 이 계절에도
조용히 앞머리를 넘겨주는 것밖에 못하는데

하기야
나는 그 진부함을 사랑했었지

포교

내 이름을 부수고 잘게 쪼개면
끝내 남는 것은 네가 아닐까

사이비 같은 웃음을 떨어트리며
기꺼워지는 건 아무래도 쉬웠다

믿음의 외연을 확장시키면
네게서 비롯된 모든 음성
또는 그 몸짓과 눈빛

먼 과거의 신앙처럼
그냥 의미부여지, 하는 말과는
사뭇 달랐다

잡을 게 필요했다니까
너 나중에 종교 하나 만들어 봐
하는 내 목소리와 네 얼굴 뒤로

후광처럼 부서지는 여름, 여름…

2장

당신은 그저 나목처럼 고요히 운다

장례비행

어제는 새들의 장례행렬을 봤어
구천을 떠도는 가여운 마음을 싣고 서쪽으로, 서쪽으로
우리의 영혼은 저 먹구름을 통과할 수 있을까

하늘만큼이나 짙은 불운 속에서
사인死因은 추락
몇 번이나 발을 내딛어도 실족이야

태양이 반쯤 끌어당겨진 저녁

너는 멀리 있어
다가오는지 떠나가는지 모를 정도로

능선 위로 지나가는 게 새일까 그리움일까

너는 모를 거야
나도 마찬가지고

개와 늑대의 시간에는

많은 게 붉게 물들더라고,

시원始原 모를 물결도

저 멀리 움직이는 실루엣도

눈시울조차 말이야

유명무실遺名無實

사람은 죽어서 이름을 남긴대
그럼 이름이 죽으면 뭐가 남아?
까맣게 잊힌 이름은 무얼 남길 수 있냐는 말이야

반쯤 흐무러진 시선으로 훑는 바닥
자취마다 불안하게 호흡하며
다만 우리는 서로를 가엾게 여겨
그건 일생이었지 일생이었지

단 한 번의 들숨으로 그 모든 떨림을 지내던 내게
네 손짓은 재난이 아니고 무엇이겠니
네 눈짓이 불행이 아니면 무엇이겠니

그러나

같은 숨으로도 이렇게나 잊어버리는 게 많은데
우리는 조금씩 제자리로 돌아가고
고요하게 닮아가지 차츰 빛이 바래지

부디 기억 위에 감정을 덧씌우지 말아
상실에 변명을 입히지 말아

나는 여백까지도 사랑하기로 했어

네 이름이 뭐였더라

투정

나는 이제 헤어짐을 노래하기 싫어

연필심이 닳다가 멈추면
수취인은 온데간데없고
쓸모 잃은 필기구 같은 마음과 줄지 않는 우표
결국엔 권태가 제 이름을 들이밀지

나만큼 그걸 잘 아는 사람도 없다고
그러니 이때만큼은 아무것도 모르고 싶다고

사실 모든 걸 알고 있으면서
알 수밖에 없으면서
아무것도 모르는 사람처럼

아무것도 모르는 사람처럼 시를 노래하고
닳지 않는 펜촉으로 네 이름을 쓰고
아무쪼록 너의 안녕을 기원하는 문장을 쓰고
진심을 담아, 따위의 맺음말을,

사실 결말이 이럴 수 없다는 걸 알고 있으면서

기다림이 없는 삶

마지막과 마지막 너머의 삶

잠자코 누워 새벽을 기다리세요
빤히 쳐다보는 것만으로는 안개가 끼지 않는 걸요

끝을 모르는데 끝 이후를 알 것만 같아

짧은 글을 쓰다 보니 길게 호흡하는 법을 잊어버렸어
오늘 같은 밤에는 폐에 물이 들어차는 것만 같아
우비를 입고 밖을 서성여 볼까,
그러다 보면 시큰한 코도 적응이 될 거야

추운 겨울인 마냥 우비를 여며
젖은 것들이 잘 마르지 않는 계절이란다
한 번 축축해지면 쉽게 물러질 거야
무른 마음은 하등 도움이 되지 않지,

지붕 끝에 매달린 빗방울에게도 동정하고 싶진 않잖아

그러므로 나는 이제 기다리지 않기로 했다

기다림이 없는 삶,

그것이 얼마나 슬픈지 알면서도

낮잠

별이 잘 드는 백사장에서 눈꺼풀은 무거워진다
눈썹과 눈물점 사이 어딘가에서 헤매고 있노라면
꿈은 차츰 깊어간다 몸은 물을 머금어 가라앉는다
나는 삽시간에 끌어당겨지다가 난폭하게 밀쳐지고

위태하게 내민 손은

툭
떨어진다
힘없이

눈을 깜빡이면 뭉그러진다 세계는
수평선을 문지른 손가락은 끝이 푸르게 젖는다
쏟아질 것 같이 어지러운 네 말들이 굴러간다 굴러간다
귓바퀴를 따라 저편으로 빠져나간다

어쩌면 네 목소리는 날 때부터 푹 젖어있나 봐
그렇지 않고서야 이렇게, 이렇게…

눈을 뜨면 풍경은 적요하다

무슨 꿈을 꾸었냐고 묻는 너는 여전히
내 눈썹과 눈물점 사이에서 서성인다

나는 영영 입을 열 자신이 없다
입을 열어 시선을 묵살할 자신이 없다

네가 나를 보고 있을 땐
서로가 가여워지는 말은
그런 말은 저 멀리 밀어두고 싶어진다

최후론

네가 내게 어리광 부릴 때마다 나는 숨을 참고 그러다 보면 치가 떨리게 슬퍼지고 가끔은 외로워진다 때로는 과호흡이었다 뚫어져라 바라보는 눈빛에 정말로 해어질 수도 있구나 싶었고 힘을 주어 쥔 손바닥에 습기가 찬다 무너지기 직전의 세상은 여태껏 본 것 중 우습게도 가장 아름다웠고 그래서 멸망론자가 생기는구나 싶었다 또 하나의 세계가 사라졌다 마음과 무관한 재앙이었다 걸어온 자리마다 폐허가 되고 다만 물어보고 싶은 것들이 많았다 겹쳤던 것들이 제자리로 갈 때마다 가슴팍이나 눈가를 톡톡 건드리는 것들 꼭 한 번은 뒤돌아보게 만드는 것들 발목 언저리를 뻐근하게 만드는 것들 그런 것들은 대체 누구 것이었냐고 왜 지금은 어리광을 부리지 않냐고 누구보다 철이 없었으면서 대체 왜 어른스러운 척 표정을 짓고 있고 왜 나만 끝을 두려워하는 것 같냐고

귀의

울기 직전의 눈은 종교와 닮아 있습니다
그 무구함은 어떤 아픔과 닮아 있습니다

이런 이기利己도 구원받을 때가 오리란 걸 믿었으나
이제는 겸허해질 뿐입니다

나는 손을 포개어 잡고 다만 함구합니다

겨울 나무처럼 단단한 빛의 갈색이 당신 눈에는 있습니다
날이 추워지려면 한참 멀었지만 벌써 당신은 결연합니다
한 톨의 습기조차 용납할 수 없다는 듯 흘려냅니다

나는 감화된 듯, 한 톨의 구원이라도 받은 듯 눈을 감습니다
당신에게 가닿는 것은 오래전부터 떠돌았던 기도입니다
나는 당신의 단단함을 미워했습니다

그러나 당신은 그저 나목처럼 고요히 울고

곡예비행, 끝

문득 닳아버린 낭만에 대해 생각한다

아무 이유도 아무 합리도 없이
다만 먼 기억으로 바뀌어 가는 열락

우리는 추위를 타면서도 끌어안지 않았지
뺨을 적시던 타성은 상냥한 폭력이었지

이지理智가 통하지 않는 셈에
빠져 죽으라면 기꺼이 잠겨 죽겠다던 말은 어디로 가버리고
울음을 터트릴 바엔 차라리 눈을 감아버리겠다는 심보구나

새끼손가락이 부러진 날조차
시선 위에 말을 얹지는 않았어

결국
부르튼 발목이 일상이 될 거야

너는 아직도 곡예비행이니

폐건물

꿈을 꿀 때마다 시야 구석에는 꼭 네가 있었다
눈만 깜빡여도 부서질 것 같은 풍경과 적요한 폐허
드물게 부는 바람 사이에서 너는 아무 말 않고 서있다

낙후된 마음과 네가 나오는 악몽은 날이 갈수록 가까워진다
해가 갈수록 닮아간다

너는 입술만 달싹거리다가 온데간데없다

그럼에도 꿈에서 깨지 않길 비손했으나
모든 풍경이 일시에 멈추고 창밖은 새벽이다

어스름 사이로 폐건물이 보이고
허물어진 관계에 대해 잠깐 생각한다

결국 달라진 것은 없었다
최후의 의미는 언제나 그랬다

새끼손가락

약속 같은 말은 쉽게 하는 게 아니래요.

지키지 못했을 때 슬퍼질 얼굴을 생각하면 저도 덩달아 울고 싶어져요. 그래서 남발하고 싶지도 않아요. 생각해 봐요, 모든 연인은 안녕을 약속했잖아요. 그래서 아름다운 걸까요? 이렇게나 미안한 아름다움이라니요. 말도 안 되는 거지만 그게 애정의 속성인가 봐요. 그래서 결핍인 사람들은 자꾸만 말도 안 되는 것을 찾고, 바라고… 제가 쓰는 문장들이 앞뒤가 안 맞는 이유도 이 때문인가 봐요.

약속이라는 단어를 사전에 찾아보면요, '다른 사람과 앞으로의 일을 어떻게 할 것인가를 미리 정하여 둔 내용' 이래요.

나는 까마득하기만 한데 사람들은 그렇지 않은 걸까요, 당신은 어때요? 우리 그냥 아무것도 약속하지 않으면 안 될까요? 엉망진창으로 머물러도 좋으니까요… 새끼손가락을 숨기고 다니는 건 안 될까요?

그러나 약속하지 않아도 오는 것이 있다는 걸 이제는 알아요.

지켜진 약속에도 슬퍼할 수 있음을 알아요.

그리고 그곳엔, 약속이 지켜진 곳엔

우리가 있을지도 몰라요.

선부른 시절

그 시절 우리가 마주할 수 없었던 것들

비가 내리면 침대에 누워 소설의 주인공을 생각했다
어김없이 방은 고요하고 이따금씩 외풍이 창을 두드렸다

심장은 잘그락거리며 뛰고 있고
말들이 굴러다니며 소리를 낸다
비가 그친 뒤에는 안개가 낄 것 같아. 물안개.
너는 아주 그랬으면 바라는 듯 물끄럼 밖을 봤다

네 글은 왜 항상 조용한 거야
조용해야만 들리는 게 있잖아
말할 수 없는 것들은 고요 아래서 모습을 드러내잖아

그래서 너는 내 얼굴을 보려고 하지 않잖아

그 시절 우리가 마주할 수 없었던 것들

날것의 시간
살갗처럼 투명한 나중과
비 그친 저녁 풍경
붙잡고 있어도 해체되던 날씨, 계절

눈조차도 맞출 수 없었는데

무력함에 대하여

말이나 글은 도움이 되지 않는다

아무것도 남기고 싶지 않았다

아직 미련일까 물으면
미련은 아니라는 말
그러면 후회만 남았지

네게 책임은 없지만
무책임하니 슬프네
나만의 일이었던 것처럼
눈을 싹 닦고, 그렇게

언어와 문자의 효용에 대해서는
차라리 침묵이나 백지가 나았지

여지가 있는 것들 말이야

잊으려고 눈을 감으면 밤 한복판에 있었다

흐놀던 것들이 이윽고 찾아온다
격랑의 성질을 타고난 관계가
꿈에서조차 제멋대로다

잠시도
내 마음대로 할 수 있는 게 없다
그 많은 노력이 허사다

옛 이야기

종종 피할 수 없는 것들이 들이닥치면 숨을 멈췄다 가장 오래된 마음의 가장 가혹한 선고나 향이 증발한 목덜미 언제나 나를 곤란하게 하는 것은 우연이 겹치면 우연이라던 사람이었다 미신을 믿지 않는 사람이었다 우습게 들리겠지만 누군가 나를 운명이라고 부르던 때가 있었다

시 비슷한 것

서로의 껍질을 뒤집어쓴
우리는 각자의 이방인이었다

눈앞에 자주 쇄도하는 것들은
발목이 쉽게 꺾이고 쉽게 넘어지지
이를테면 키가 작은 나무
아직 어린 우울

좋아하는 시가 있냐고 물었지
그런 건 거짓이라 믿고 싶던 때가 있었어

시라는 건 없어 시 비슷한 것만 있을 뿐
우리라는 건 없어 우리라고 자칭하는 것만 있을 뿐

그런데도 닮은 너와 내가 미워서
그래서 이렇게 쓰고 있잖아

너는 우리를 우리라고 부른 적이 없잖아

그런데도 뭐든지 적고 있잖아

쓸모 외인外人

속눈썹이 눈을 찌르는 일처럼

쓸모를 벗어나는 일은 불현듯 찾아온다 철 지난 외투 주머니 속에는 타국의 지폐가 있었다 그 시절의 우리는 시시콜콜한 것들을 좋아했고 의미를 찾는 일은 뒷전이었다 무작정 환전했던 서쪽 나라의 화폐는 여러 번 접혀 낡아 있었다 더 이상 쓸 곳이 없었으므로 잘 펴서 액자에 끼워놓았다 미련, 흔적 따위의 단어들이 몇 번 떠오르다 이내 가라앉았다 문득 눈이 따끔했다 갈 곳 잃은 마음과 다소 무쓸모한 이야기를 생각하며 조금 울었다

이유는 알 턱이 없었으나
용도 외의 쓰임새에 아파하는 일은 드물지 않았다

배탈

대충 씹어 삼킨 것들은 자주 탈을 일으켰다

연약한 것도 뱃속에 들어가면 이내 가시가 돋았다

배앓이를 할 때면 오늘 먹은 점심 때문인지

하지 않은 말이 있어서 그런지

어느 쪽이든 누구의 탓이 되진 않았다

꼭 잘못의 크기만큼만 아팠고 잔병치레가 잦았다

얼마 전에는 아프지 마, 하는 말에 이틀을 더 아팠다

먹지 말라는 건 먹어야 직성이 풀리는 사람처럼

듣고 싶은 말은 들어야 했다

앓는 것은 두렵지 않았지만 잃는 것이 두려웠다

별안간 옳은 건가 싶었다

침묵 빼기

우리는 뱀의 논리로 수많은 새벽을 지냈지

당연하지 않은 것이 당연하게 될 때까지
우리는 얼마나 많은 우연을 죽였나

한숨 같은 건 아무것도 아니야
싫다는 말은 싫어했으면 좋겠어
눈물 자욱이 고이는 계절에는 산새같이 떠나버릴 순 없을까
도망가자, 무책임하고 사랑스러운 말을 해 봐

다만 너는 걸어 잠근 듯 고요하다
담보 잡힌 낭만이 낙후되고 있다
비가역이다

있잖아, 같은 말은 제발 없었으면 좋겠어
사실은, 같은 말이 제발 거짓이었으면 좋겠어

이 모든 것을 너는 알지 못하겠지

그러니 이 침묵은 나만의 것이어야만 한다

사물이 거울에 보이는 것보다

먼 곳에서부터 오는 것들은 느리게 보인다
사물이 거울에 보이는 것보다 가까이 있습니다
사이드미러에 비친 것들이 아득히 멀어져 간다

차를 타고 이동할 때면 그런 생각이 들었다
다가오는 것들은 항상 천천히 오는 것 같고
곁을 지날 때면 본래의 속력으로 쏜살같이 간다고

그래서 나는 아무것도 쥘 수 없었다
빠르기의 차이가 도저히 이해 가지 않았다

가까이 있다면서
온통 거짓말이다
잡히지 않는 것투성이다

부재중

이상하게도 목소리를 자주 잃는 낮

초인종이 몇 번 울리고

회신 없는 메시지처럼 지워졌다

오후에는 약속이 있었지

말라버린 비누 같은 삶 이상하게도

균열이 생긴 곳에 거품이 일었다

마른 세수를 해도 물기가 묻어 나온다

홀로 남겨진 옷가지와 비누는 유사하다 주인 잃은 냄새다

문득 홀로인 게 무서워졌다

머물다 사라진 것들은

종종 두려움이 되어 다시 나타난다

약속 시간처럼 오리란 것을 안다

이름 잃음

유통기한이 지난 마음에도 네 이름을 붙였다

밖은 흐렸고 창문을 열려다 관뒀다 편지지를 꺼냈으나 무슨 말을 적어야 할지 몰라 오랫동안 공란이었다 X에게, 로 시작하는 글줄도 닳을 대로 닳아 몰염치했다 라디오에서는 기상예보가 들렸다 이번 주는 일교차가 크니 다들 건강에 유의하셔야겠습니다 주말에는 전국적으로 비가 예정되어 있습니다 컵 표면에는 물방울이 흘러내리고 있었다 우리와 닮았다 여겼던 것들은 항상 아래를 향했다 구름 눈빛 한숨 기시감 울음 그러므로 다시는 닮은 꼴을 찾지 않을 것 습한 날씨가 이어졌고 눈물 자국은 곰팡이를 닮았다 먹지 않았거나 먹지 못했거나 어느 쪽이든 방치된 마음에는 꼭 유성펜으로 엑스를 쳐놔야지 그러지 않으면 탈이 날 거야 네 이름도 엑스인데 이거 웃기다 왜 사람들은 무언가를 부정할 때 엑스를 쓰는 걸까 어쩌면 네 이름을 사랑할 때부터, 그러니까 애초부터 틀린 걸까 싶었다 이내 조금 울고 싶어졌다

결격사유

익숙한 기척이 다녀갔으면 했다 몇 번이고 했던 상상이었다 천천히 기울면 언젠간 매트리스에 눕게 된다 밖에는 강풍이 불었다 괜히 비참하다는 생각이 들었다 아무런 문제가 없는 게 문제였다 분수에 맞게 우울하자는 약속도 지키지 못했다 핑킹가위로 잘라낸 듯한 삶 들쭉날쭉하게 변하는 마음과 걱정 로마 Roma 는 거꾸로 하면 사랑 Amor 이래, 하는 말을 괜히 봤다 나라를 뒤집어 놓을 만한 게 사랑이라는데 내가 여태껏 한 건 뭐였을까 궁금했다 멜로 영화가 체질이 아닌 탓일까 싶었다 한 쌍의 입꼬리도 뒤집어 놓지 못했는데 철자 뒤집 듯 쉽게 뒤집히는 게 사랑이면 너무 슬픈 일이었다

어리광 총론

의연해질 수 있을까

말을 하려다 마는 사람의 동공은 소란하다

알고 있지만 모른 척하는 마음과
모르고 있지만 다 아는 체하는 마음

바늘 끝 같은 정적
서성이는 정적, 정적
침묵에도 빠져 죽을 수 있을 것 같아

같이 숨을 참는 거지
얼굴이 붉어질 때까지

이런 말도 어리광인가
어린 사람이 할 만한 말인가

너는 그런 건 싫어할 것 같아서

의연해져야만 한다
구태여 변명 같은 건 붙이지 말고

그런 생각을 하면
울고만 싶어진다

이런 건 싫어할 것 같은데도

제목을 입력해주세요

불 꺼진 방 안

뺨을 바닥에 대고 누워 있을 때

햇빛이 드는데 비가 내릴 때

문득 밤하늘의 깊이를 모르겠다는 생각을 할 때

떠오르는 사람이 있다

성과 이름 사이의 간극만큼

딱 그만큼 멀어지는 생각만으로

나는 너를 뮤즈로 삼고

글이라고 이름 붙인 우울을 쓴다

때로 간절할수록 무기력해지는 법이다

밤이 깊을수록 문장이 짧아지고

문장이 짧아질수록 생각이 길어진다

천장이 아득해 보이는 시간
낡은 베개처럼 가로로 누워

네가 내 글들을 읽어줬으면 한다고
활자 하나 톺을 때마다
내 생각을 했으면 한다고

이번 글에는 어떤 제목을 붙여야 할까

욕심

암막 커튼의 뒤편에서 조용히 눈 감고 있을 때 너는 어디 있었나. 날이 밝은데도 스탠드를 켜는 마음을 네가 알까. 물어뜯어 해진 손톱을 보면 너는 무슨 말을 할까. 습관처럼 점등 버튼에 손을 가져다 대는 걸 보면 너는 내 손을 막을까. 화창하니 햇빛 좀 보라며 커튼을 걷을까. 아니면 뭐든 좋다며 옆에 누울까. 네 얼굴이 조금은 보고 싶다. 내가 바란 적이 있었나. 굴곡과 윤곽으로도 구분할 수 있으면 그게 애정일까. 가만히 쓰다듬으면 가만히 웃어줄까. 왜 언제나 너는 가장 바랄 때 없을까. 왜 무기력은 언제나 나의 몫일까. 이것도 이기적인 생각일까.

눈을 감은 적막

버스 안에서 이어폰으로 노래를 들었다 우리가 가사를 닮은 걸까 가사가 우리를 닮은 걸까 도무지 모르겠어서 창밖을 봤다 비슷한 풍경이 빠르게 지나갔다 이유 없이도 슬플 수 있구나 나는 면벽하듯 내다보고만 있었고 옆자리의 너는 눈을 감고 있었다 눈꺼풀 안에서 무슨 생각을 하고 있었을까 햇빛이 들어올 때면 미간을 찌푸렸다 눈빛도 빛이라는데 이건 왜 투과가 안 되는 걸까 말할 게 있냐는 물음에 영원히 대답 못하겠지만 하지 않을 거지만… 그래도 한번쯤은 물어보면 좋겠다고.

3장

때로 언어는 기만이 된다

약속

세 치 혀를 놀리는 게 사치인 것처럼
어둔 입안에 숨겼다
입천장은 무료한 백수처럼 꿈을 꾼다

비관 섞인 애정이 쏟아진다
너는 조용히 입술을 깨문다

마치 인어공주 같아

뱉지 않은 단어는 물거품처럼 사그라진다
가끔은 다리가 생겨 달아난다

입을 떼려다 말면 너는 항상 내게 묻는다
다 알고 있으면서 묻는 마음은 심술인 거지?

때로 언어는 기만이 된다
선언하지 않아도 해마다 찾아오는 날처럼
우리가 서로의 생일을 축하하지 않는 것처럼

육지 멀미

버려진 파라솔이 쭉 늘어서 있다
이름 모를 해수욕장의 용도는
그저 낙오자와 모래사장의 밀회 장소인가

표류하던 것들이 떠내려온다
귀퉁이가 부서진 부표와 라벨이 떼어진 페트병
손길이 닿았던 것들임에도 낡아버린 물체들
부식되고 상처가 많은 것들

모래알은 햇빛을 받아 번쩍인다
눈이 부시다가 이내 아뜩아뜩하다
현기증 비슷한 것이 시야에서 아른거린다

한때는 나도 여기저기 떠다녔던 것 같아

파도처럼 바삭바삭하던 시절을 생각한다

별안간 바람이 세고

갈매기 떼가 확 날아오른다

육지 멀미가 병증처럼 심해진다

어린 날

몇 해 전 겨울을 떠올립니다

이유도 없이 다정했던 누군가와 이유 없이도 서러운 일이 많았던 내가 있었습니다 지금은 구름 따위에 무너지지는 않지만 그때는 쉽게 뭉개지고 포개졌습니다 눈을 깜빡이는 것으로 그 고요한 저녁 풍경을 번지게 하는 건 충분했습니다 멍하니 바라보고 있노라면 저 멀리서 종이 울리고 정적에 금이 갑니다 그러면 나는 이유 없이도 미안할 수 있었습니다 역광이 비치면 나는 당신의 표정을 알아볼 수가 없고 당신은 그림자처럼 단지 침묵합니다 여름의 언저리에서 문득 생각이 나 적습니다 더위와 추위는 닮아 있습니다 그 해 겨울의 우리는 맞닿아 있었습니다

제멋대로의 미학

때로는 막무가내인 생각이었다

오직 변덕스러움만이 내게는 다정하다

명명할 새도 없이 바뀌는 너는 그러나 항상 머무르지
과연 폭력이라 일컬을 수 있을까?
가히 비극이라 이름 붙일 만했던 그 어느 것, 어느 마음조차도
찾아오는 폭염의 계절엔 숨을 죽이고 피서했지
그늘 밑에 들어가 나올 줄을 몰랐지

꼬리표처럼 따라다니던 열사병과 어지럼증
차가운 살결을 끌어안고 있다 보면 뜨겁게 달궈졌던 이마와
열을 받아 팽창했던 생각들이 잠자코 식어간다

팔을 벌리고 울다니, 어린아이 같아
껴안는 법을 모르는 건 아니지
안아달라고 말하는 법을 모르는 건 아닌 거지

말하는 순간 너는 고정되어

한 줄로 읽힌다

잠시만 멈춰줄래

내 모든 걸 가져 놓고

더 욕심낼 필요는 없잖아

천천히 기우는 법을 배우자

조용히 끓어오르는 물 안의 개구리처럼

한쪽이 무너져도 우리는 고요할 수 있게

눈치채지 못했으므로 아직 결말은 아닌 거야

때로는 막무가내인 생각이었다

애초부터 움직이지 않았으므로

자가당착이었다

불행의 총량

우리가 만난 게 불행 중 다행이라니, 그 말은 뭐예요. 그런 말은 도대체 누가 만든 거죠. 끝을 모르는 다행일 수 없다면 차라리 온전한 불행이고 싶은데 누가 그런 마음 편한 소리를 하는 거예요.

낡은 습관

피곤할 때면 입술에 보풀이 일었다
자주 입은 스웨터처럼 조금씩 낡아가는 모양이다

손끝은 각질처럼 나달나달하다
너무 많은 마음을 먹인 탓에 비대해진 글을 쓴다

펜을 붙잡는 밤은 잉크처럼 검다
자주 반복되던 검은 밤은 네 탓이다
생각만으로는 지낼 수 없는 시간이 있다

내 글을 들춰보면
불안이나 미련,
어리석음과 그리움의 이름을 한 것들이
신화 속 괴물처럼 도사리고 있다

거친 입술을 매만지면서 네 습관과 닮았다고 느낀다
자꾸 손이 가는 까닭은 떼어질 듯 떼어지지 않는 탓이다

책임을 묻는 일이 이렇게나 여러 번이다
한 편의 글에서도 성숙하지 못한 것들이 자주 부딪힌다

낡을 대로 낡은 것을 나는 고물이라 불렀고
너는 골동이라 불렀다

그러므로 핑계를 늘어놓는 이것은
시보다는 오히려 비문碑文에 가까웠다

답신 없음

돛단배가 떠가는 은하수
그 아래에 파묻힌 나
끝내 발견되지 않을 비밀과
말이 없는 나

그리고 끝내 나를 찾아올 너

한창 더운 밤
멀리멀리 내뻗은 항로
길을 따라 흐르는 마음

무의식은 땀처럼 맺히고
늘어놓다 보면 너는 궁금해질 거야

밤하늘은 고요하고
저 침묵을 수놓은 게 너였구나 묻겠지
몇 개를 어림잡아 별자리를 꾸미는 것처럼
내 이야기는 네 호기심으로 지어진다

하필이면 오늘 달이 뜬 것도 내가 한 거냐고 물었지

글쎄

캠프파이어하기 좋은 날

왜 사람들은 불을 보며 멍을 때리는 걸까. 타닥, 타닥… 숨이 꺼져 가는 소리, 호흡을 태우며 뜨거워지는 소리를 들으면서 말이야. 이런 걸 보면 사람들은 다 거기서 거기인가 봐. 이 정도면 우리라고 불러도 되지 않을까. 모든 우리는 불타오르는 것을 사랑하고… 또 타오르고 싶어 한다고 말해도 되지 않을까. 연소하는 것들은 언제나 아름답고 우리는 아름다운 것을 좋아하잖아. 남는 게 뭐가 있냐고 물으면 어떻게 대답해야 할지 모르겠어. 무언가 태우는 일에 뭐라도 남기를 바라지는 않잖아. 그런 표정 짓지 마. 너 알고 있었잖아.

먼 우주에서 온 일

종말이라는 것은 마치
딛고 있는 행성의 일이 아닌 것처럼

눈에 넓은 미지를 담고 있으면서
모든 시선이 무심하다

도로변을 걷다가 꽃에 멈추는 일이 드물었다
고개를 숙이는 일은 훨씬 그렇다

먼 우주에서 온 것처럼
고개를 드는 일이 많았다

하늘이 아니라 하늘 너머를 보는 것 같았다
광막한 푸른빛을 보며 어떤 생각을 하는지 궁금했다

사실 보는 게 아니라
내가 감지 못하는 신호를 보내는 것 같았다

동공에 무시무시한 암흑을 박아 넣고도
몇 번의 깜빡임으로 찬란할 수 있다니

도저히 모르겠다
외계인 같구나 너

내가 너를 이해할 수 없는 것처럼
누군가의 종말이라는 것은 마치

마주하고 있는 존재의 일이
아닌 것처럼

누더기 걸음

내 발걸음은 해질 대로 해져서
누덕누덕 기워붙였지

낡은 신발 밑창과 이 삶

절뚝이는 다리와 덜컹이는 심장은
그림자처럼 따라다녔지
이름표처럼 붙어있었지

한 걸음씩 내딛을 때마다 휘청거리는 날들
세게 부는 바람에도 철렁이지 않았는데
이렇게나 나약한 시 한 편에

그래

나를 꼭 닮은 불안과
내 이름 석 자로 쓰는 강박

얇게 저민 새벽에 걸어둔다면

가없는 의심조차 결말을 맞았겠지

그러나 그건,

내 발밑에 항상 붙어있던 그건

까마득한 슬픔과 진배없다는 사실을

이제는 알겠더라고

미적 재해석

말소리처럼 찾아온 네가 언어가 된다
우습게도 나는 항상 네게 부정확하다

그러나 어떤 말이라도 뱉지 않고서는 이 침체를 지나갈 수 없다

나는 항상 머물러 있다

네게 예술은 기능하지 못한다

몇 번을 퇴고해야 시가 되지, 너는.

언제나 당신 앞에서는

매캐한 연기를 마시는 일 같다

당신 손에서는 가꾸던 화분의 냄새가 난다

습한 날에도 물을 주었지

품에는 여름빛 가득한 이파리의 촉감

노을을 따라 담배 연기도 흐려진다

태양을 따라 유월도 막을 내린다

맨발로 쏘다니는 계절이 이제 한창이다

연신 콜록이며 눈에는 서투름 비슷한 게 맺힌다

당신 앞에서 울지 않으리라 했다만

언제나 당신 앞에서는

처음 한 다짐 같은 것들이 널브러져 있다

무정無情이라고는 생각하지 않았다

흙냄새와 담배 냄새가 같이 나는 손이 그저 좋았다

뺨을 맞대는 일이 매운 연기를 마시는 일 같았으나

여름은 원래 하지 않으려 마음먹은 일도

별안간 기침처럼 튀어나오는 시절

겨울을 비관한 연인

나의 삶과 삶을 이루는 모든 기억들이 날카롭게 변모할 때쯤이면 항상 겨울이 찾아왔어. X, 그거 알아? 나는 네 비관이 좋았어. 좋고 싫은 게 다 뭐야. 차라리 나쁘다는 말을 쓰던 네 말버릇조차도. 이 계절이 나빠. 네 손을 잡고 싶게 하는 추위가 나빠. 울고 싶게 하는 바람이 나빠. 나는? 따뜻함을 찾아 우울해지려는 네가 정말 나빠.

우리가 애틋했던 적이 있었어?

나는 너한테 어떤 원망을 들어도 좋겠다 싶은데.

그래도 선불리 대답하지는 마.

존재 가치

두고두고 슬퍼하는 석상처럼
오래오래 아플 예감이었다

하이볼을 마시다 보면 위스키는 낯선 이름 같다
벽에 늘어선 빈 병을 보며 얼굴에는 열이 오른다
취객의 언어처럼 무언가 자꾸만 꼬인다

실은,
그러니까 실은…

의도를 벗어난 떨림이 자꾸만 빗맞았다

마음이 물러지는 병에 걸린 사람처럼
아무것도 아닌 일에 쉽게 멍이 들었다

상품 가치를 잃은 과일처럼 문득 겁이 났다

아무것도 아닌 게 아니야
다치기 쉬운 성격이잖아
앞 잘 보고 다녀,
위험한 데서 뛰지 좀 마

하는 말들이
아직도 죽지 않은 걸 보니
오래오래 아프겠구나, 싶었다

발원지

조금, 아니 어쩌면 아주

우리는 태초부터 외롭대

태어날 때부터 우는 이유가

스스로가 외로울 걸 잘 알아서 그런 거래

언제든 꼭 혼자일 때가 오리란 사실을 알고 있어서 그렇대

그러나 우리는

울음으로 시작한 삶이 내내 젖어있지만은 않다는 걸 알지

빗금처럼 우는 밤

빗금처럼 우는 밤

안부를 궁금해하는 이에게
왈칵 되묻습니다

온통 해진 페이지를 펼쳐 놓고
이 애는 누구야, 이 애는 누구야
하고 지내는 삶이면 어떤 삶인가요

사진이 여러 장이면 그리운 얼굴들이 꼭 두엇 있습니다
어떤 앨범에는 셀 수도 없이 많습니다

하나하나 이름을 붙이며 살고 있습니다

공상 또는 몽상 같은 것을 지어먹고 삽니다

해야 할 일을 하면서도

자주 삐끗합니다

늘어난 힘줄이 잘 낫지 않습니다

부기에는 냉찜질이 좋다던데

손이 차갑던 이네들이 떠오릅니다

사실 온도 따위는 중요하지 않습니다

잘 지내시나요

무해한 눈빛

왜 모든 어린 것들은 허둥댈까

먼 타국에서 자주 기른다고 하는
관상어를 들이고 싶었다

치어일 때부터 지켜보면서
곁을 서성이면서
새까만 눈동자를 빤히 보면서

갈피를 못 잡을 때마다
유리벽을 가볍게 두드려주고 싶었다

먹이를 사들고 돌아가는 길
신호등에 멈춰 서서
기다리는 것들을 생각하는 사람이 되고 싶었다

지느러미의 빛깔로
서서히 물들 때마다
나도 덩달아 여기저기 물들고

산소공급기에서 올라오는 기포를 보며
너희라도 숨 막히진 말아야지

허둥댈 때마다
나도 아직 어린 것 같은데 물어보면

너희는 그냥 뻐끔뻐끔,
꼬리를 하늘거리며
무해한 눈빛으로

생전生前이라는 단어

생전生前이라는 단어는 삶의 이전이라는 뜻이어야 하는 거 아니야? 하던 네 말이 기억났다. 그러니까 생전 처음 듣는 말이라는 표현은 전생에서도 들어본 적 없을 정도라는 거지. 내 전생은 뭐였을까? 무생물일 수 있다면 별이었으면 좋을 것 같아. 아니면 운석이어도 좋겠다. 우주를 유영하는 것들은 누구의 목소리도 듣지 못하겠지. 그러면 이번 생에 듣는 모든 단어가 새롭고 기쁘지 않을까. 사소한 말에도 행복해하는 사람이 되고 싶었는데. 어쩌다 보니 쉽게 슬퍼하는 사람이 되어 버렸어. 눈물이 쉽게 투신하는 건물이 되어 버렸어… 하는 네 목소리를 따라 버거운 생이 함께 떨렸다

사회화

언젠가 어디론가 숨고 싶었을 때 줄 없는 노트에

비 맞은 문장이 문을 두드린다

라고 적었다

그런 글을 적는 사람은
어쨌거나 외로운 사람인 게 분명했다

주저앉아 우는 법을 터득하고 싶었다
지저분한 손으로도 눈물을 닦아 내긴 쉬웠다

인간人間이 인간이 아니라 사실은 인간引間이었으면,
그러니까 빈틈을 참지 못하는 성질이어서
끌어당기고 맞붙어버렸으면,
그랬다면 차라리 나았을 텐데 생각한다

주변이 텅 빈 것은 인간이 인간人間인 탓이라고 생각한다

나는 이제 나쁜 것을 좋지는 않다고 말할 수 있다

싫은 것을 좋아하지는 않을 수 있다

잃어버린 것들

빛나는 것들에겐 더 이상 붙여줄 이름이 없어

너는 꽃을 닮았다고 하자
시들기는 싫다며 고개를 푹 숙이고
그 모습이 정말 한철 피고 지는 것 같아서

찬란은 찬란의 이름을 하지 않는다는 걸 아니

빛이 바래야만 눈부시게 된다
먼지 같은 어느 기억
기침을 하면서도 껴안고 살면
품은 어느새 지저분해지고

뭐라고 불러야 하나 물어볼까
붙여줄 이름이 없으면 그냥 뭉뚱그려
너라고 부르면 될까

한철 눈부시다 사그라드는 것은
절대 제 이름으로 불리지 않지
멀거니 쳐다보면 입모양으로 왜, 왜,
도무지 해석할 수 없는 마음

건망증이 심해진 소년은
소년은 잊어버리는 일이 잦아졌고
잊어버렸다는 사실도 잊어버리고

그러니 정말로 아름다운 거지
기억 저편으로 넘어가는 건 어쩌면
상실이 아니라 박제가 아닐까

기억 못 하는 것들에게 목례를 할 시간이야

묵비권

그을음이 많다
입속은 그을어 들여다봐도
보이지가 않는다

너도 그저 삼켜버린 문장이 많았는지
여기저기 화상 입어 들뜨고 까졌구나
암순응은 불현듯 오고
고개를 빠끔히 내밀다 이내 사라지는 말들

원래 소중한 것에 대해서는 말을 아끼지
불문不問의 어법을 가진 너를 사랑해

불면

시같이 살 수는 없는 걸까
너를 은유처럼 부를 수는 없는 걸까

난삽한 문장들을 억지로 늘어놓는 것만큼
부끄러운 일은 없으나 염치를 자주 잊었다

그것은 종종 삶이 아니었다

첫새벽에 눈이 자주 떠졌다
원해서 뜬 것은 아니었고 이 생 또한 그랬다
가만히 누워 있다 보면 셀 수 없었던 슬픔이 지나간다
까마득한 것들에 대해 고민한다
눈을 감아야만 보이는 것들에 대해 골몰한다

내가 시라고 일컫는 것들은 죄다 폭력이었다
낭만에 상처 입은 것들이 도처에 널려 있었다
문장을 생각하다가도 하나둘씩 흐려졌다

약속, 약속 같은 말들이 지워지고 있었다

어느새 다시 아가리를 쳐든 수마睡魔 앞에서 생각한다

졸음은 죽음과 닮아 있구나

사람부터 삶까지

사람이 찾아온 삶 또는
삶이 찾아온 사람

인내 끝에 만나게 되는 시간

참는다는 것에 대해 생각한다

수취인에 네 이름을 쓰지 않는 일
우표를 붙이지 않는 일
수화手話처럼 맴도는 눈빛

모두 큰 인내를 필요로 했다

눈에서 물이 나오도록 참다 보면
턱끝에서 뚝뚝 떨어지는 투명한 마음 투명한 마음

만남은 기다림을 필요로 한다
기다림은 만남을 먹고 자란다

매미

어느 여름에는 매미 소리를 들으며
울다 스러지는 삶에 대해 생각했습니다

바싹 마른 덩굴이 되었다가
여름 장마에 젖는 흙이 되었다가
애벌레처럼 웅크린 연약함이 되었다가
그런 와중에도 당신은 불러보고 싶은 이름이 되었다가

저 밑 깊은 곳에서부터
결국 비집고 나와
한철 저물 때까지 우는 삶

나무에 매달리듯이
무언가를 붙잡고 있습니다

허물을 벗고 싶었으나
오히려 뒤집어쓴 일도 잦았습니다

맹렬히 우는 일이 생의 전부라면
부르고 싶은 이름만 부르다가

사랑해서 우는 삶과
울어서 사랑하는 삶은 같은 거라고
쉰 목소리로 말해야겠습니다

합리주의

안녕, 안녕

잔인한 미신이지, 그렇지
그 말 이후로 결코 잠잠해질 수 없다는 걸 알면서도
말 한마디면 뭐든 괜찮아질 거라고 믿는 거
주문처럼 외우고 다니잖아

안녕

그게 미신이 아니면 뭐겠어

근데 너 그런 거 안 믿는 댔지
그래서 뒤돌아보지도 않는 거구나

작가의 말

살면서 목도해 온 모든 눈물은 흐르고 흘러 우리가 됩니다

우리에게는 아직 이름 붙이지 않은 우리가 있다고 믿습니다

2021, 초가을

오늘 새벽에는 말없이 눈만 맞춰도 좋겠습니다

발 행 | 2021년 10월 26일
저 자 | 전윤철
펴낸이 | 한건희
펴낸곳 | 주식회사 부크크
출판사등록 | 2014.07.15(제2014-16호)
주 소 | 서울특별시 금천구 가산디지털1로 119 SK트윈타워 A동 305호
전 화 | 1670-8316
이메일 | info@bookk.co.kr

ISBN | 979-11-372-6033-7

www.bookk.co.kr